Y0-CAR-318

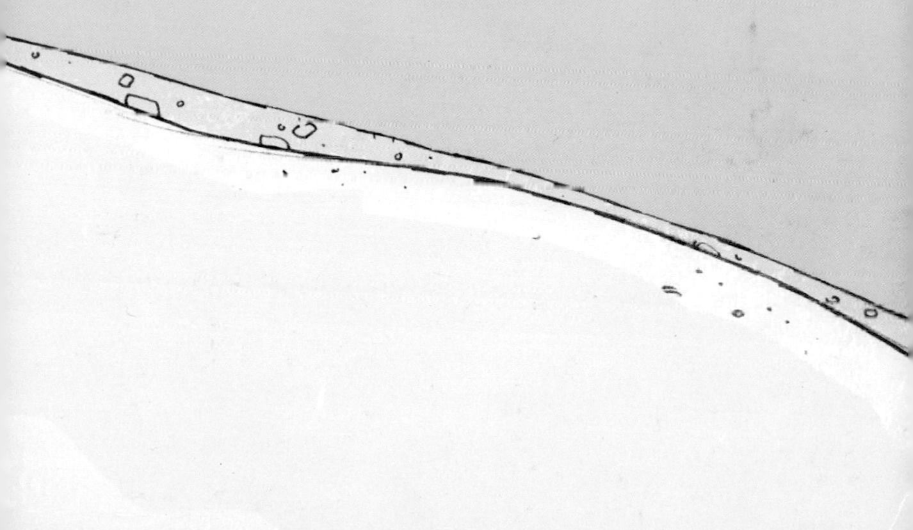

Un autobus pour Luce

Mairi Mackinnon
Illustrations de Steve Simpson

Comment utiliser ce livre?

Cette histoire a été écrite pour que vous la lisiez avec votre enfant. Vous lisez chacun votre tour :

Vous lisez ces mots.

Votre enfant lit ces mots.

À la fin du livre, aux pages 30 et 31, quelques conseils vous aideront à guider votre enfant dans l'apprentissage de la lecture.

Un autobus pour Luce

Tournez la page et commencez
à lire l'histoire.

Luce récolte le blé.
Elle est très occupée.

Elle a un moulin pour
faire de la farine.

Elle remplit des sacs de farine toute la journée.

Pas de chance!
Luce a très mal
au dos.

– Il est temps de vendre mon moulin.

Je ne peux plus porter les sacs; j’ai trop mal au dos.

Alors elle déménage et…
quel choc!

La voilà dans une cabane, sur une île.

Mais elle est malade;
elle reste au lit.

– Il y a trop de pluie,
e ne reste pas ici!

Et il y a trop de brume aussi.

Je n'aime pas la brume.

C'est fini!

Maintenant, Luce vit près de chez nous, dans le pré.

Elle a un lit dans
un autobus.

Il y a dix arbres dans le verger,

et aussi un cochon,
un canard et une poule.

L'autobus, c'est facile pour voyager.

– Je fais mon sac
et je m'en vais.

Au soleil, Luce
se sent bien.

Elle a la vie
dont elle rêvait!

Jeux

Contente ou triste?

Lis les phrases. Selon toi, Luce est-elle contente ou triste?

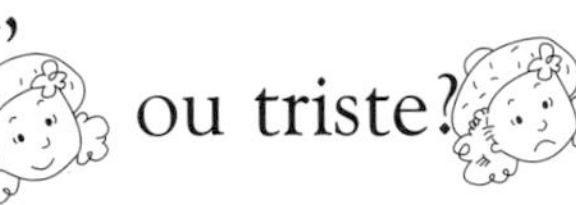

1.

Luce a un moulin pour faire de la farine.

2.

Je ne peux plus porter les sacs; j'ai trop mal au dos.

3.

La voilà dans une cabane,
sur une île.

4.

Elle a la vie dont
elle rêvait!

Vous pouvez imaginer tous les deux comment pourrait être la vie dans un autobus.

Le mot faux

Dans chaque phrase, il y a un mot faux. Quel mot devrait être écrit à la place du mot faux?

1\. 

Pas de change!
Luce a mal au dos.

2\. 

Il y a trop de bruit,
je ne reste pas ici!

3.

Je n'aime pas la fumée,
c'est fini!

4.

Je sais mon sac
et je m'en vais.

Cache-cache

Parmi ces éléments, lesquels sont sur l'image? Il y en a cinq.

un autobus
un chat
un chien
une poupée
un canard
un chapeau
une poule
un filet
un cochon
un sac

Solutions

Contente ou triste?

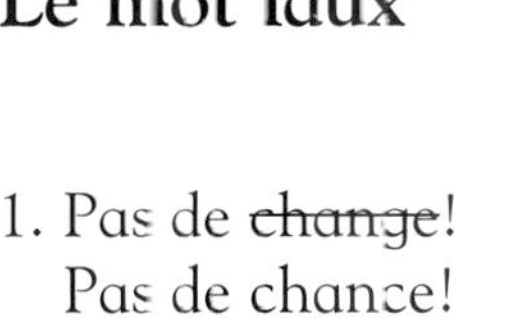

Le mot faux

1. Pas de ~~change~~!
   Pas de chance!

2. Il y a trop de ~~bruit~~,
   Il y a trop de pluie,

3. Je n'aime pas la ~~fumée~~.
   Je n'aime pas la brume,

4. Je ~~sais~~ mon sac et
   je m'en vais.
   Je fais mon sac et
   je m'en vais

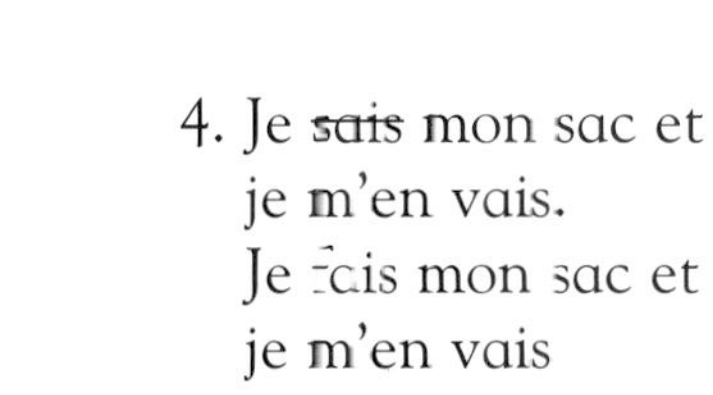

Cache-cache

Conseils pour la lecture

Mon premier petit poisson est une collection spécialement mise au point pour les enfants qui apprennent à lire. Votre enfant et vous-même lisez à tour de rôle. Cette approche permet à l'enfant de renforcer ses connaissances en lecture et l'amène à lire de façon autonome. Dans *Un autobus pour Luce*, on trouve les combinaisons de lettres suivantes :

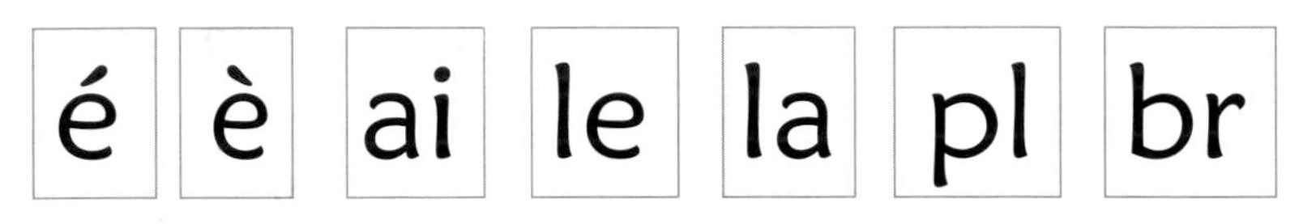

Ces lettres et combinaisons de lettres sont parmi les premières que votre enfant apprend à l'école. Il est important que votre enfant reconnaisse les sons auxquels elles correspondent. Vous pouvez l'aider à trouver d'autres combinaisons simples, comme *li, lo, lu.*

Quelques questions et réponses

Pourquoi est-il nécessaire de lire avec son enfant?

Partager les histoires et lire à tour de rôle est un moment agréable pour l'enfant. Votre présence l'aide à gagner confiance en lui et l'encourage à persévérer. De plus, une histoire en peu de mots saura stimuler son intérêt.

Quel est le meilleur moment pour la lecture?

Choisissez un moment où vous êtes tous les deux détendus et où vous ne risquez pas d'être dérangés, afin de créer une ambiance propice à l'apprentissage. Cessez la lecture lorsque votre enfant perd de l'intérêt. Vous pourrez toujours la reprendre ultérieurement.

Que faire si mon enfant bute sur certains mots?

Encouragez votre enfant, essayez de trouver la solution ensemble. Si votre enfant fait une erreur, retournez en arrière et identifiez le bon mot ensemble. N'oubliez pas de féliciter souvent votre enfant.

Nous avons terminé. Que faire à présent?

Vous pouvez faire lire l'histoire plusieurs fois à votre enfant pour l'aider à assimiler et lui donner de plus en plus confiance en lui. Puis, quand votre enfant est prêt, vous pouvez passer à une autre histoire, selon son niveau.

Conception graphique de Russel Punter

Catalogage avant publication de Bibliothèque et Archives Canada
Mackinnon, Mairi
Un autobus pour Luce / Mairi Mackinnon ;
illustrations de Steve Simpson ;
texte français des Éditions Scholastic.
(Mon premier petit poisson)
Traduction de: A bus for Miss Moss.
Niveau d'intérêt selon l'âge: Pour les 4-7 ans.
ISBN 978-1-4431-0690-0
I. Simpson, Steve II. Titre. III. Collection:
Mon premier petit poisson
PZ23.M3373Au 2011 j823'.92 C2010-905778-3

Édition publiée par les Éditions Scholastic,
604, rue King Ouest, Toronto (Ontario) M5V 1E1,
avec la permission d'Usborne Publishing Ltd.
5 4 3 2 1 Imprimé à Singapour 46 11 12 13 14 15

Dans la collection MON PREMIER PETIT POISSON

En avant la musique!

Lili la vache

Un autobus pour Luce

Dans la collection PETIT POISSON DEVIENDRA GRAND

NIVEAU 1

La sauterelle et la fourmi

La vieille dame dans une chaussure

Le corbeau et le renard

Le dragon et le phénix

Le petit pingouin frileux

Le poisson magique

Le renard et la cigogne

Pourquoi les éléphants ont-ils perdu leurs ailes?